비행기  어떻게 날아갈까?

시작하기

우리는 항상 새처럼 하늘을 나는 꿈을 꿉니다.
문제는 어떻게? 날 수 있을까 였습니다.
초기의 발명가들은 직접 자기가 만든 날개를 퍼덕이며 높은 탑에서
뛰어내렸습니다. 실패를 거듭한 끝에 인간은 하늘을 날 수 있는 기계가
필요하다는 것을 깨달았습니다. 이것이 바로 비행기입니다. 비행기는
지금까지 만들어진 가장 놀라운 발명품 중 하나입니다.

풍력(바람의 힘)

연은 땅과 연결되어 있어야만
합니다. 바람의 힘이 연을 하늘에
떠 있도록 합니다.

뜨거운 공기

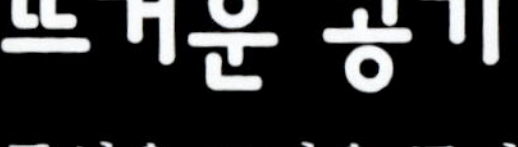

풍선은 뜨거운 공기나
가스가 가득 채워진 큰
공과 같습니다. 풍선은
공기보다 가벼워서 하늘로
올라갈 수 있습니다.

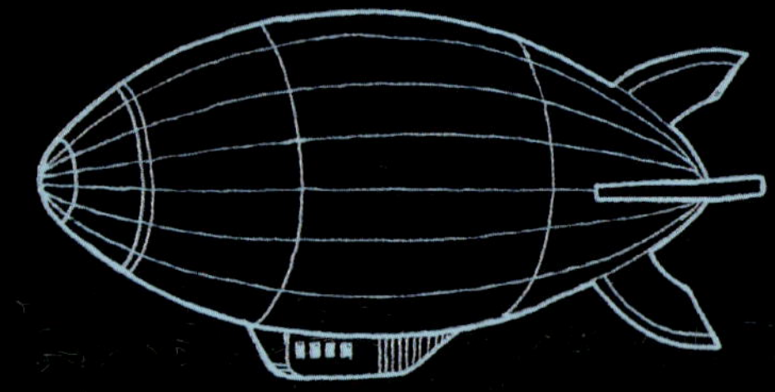

조종하기

풍선과 같은 비행선은 공기보다 가볍지만,
엔진이 설치되어 있기 때문에 날아가는
방향을 조종할 수 있습니다.

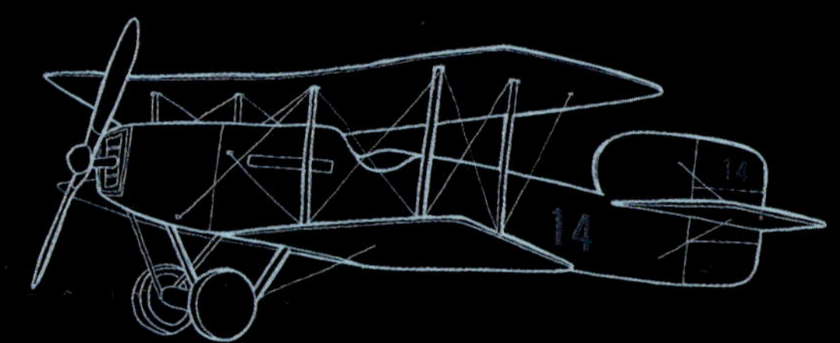

엔진의 힘

동력 비행기는 크기와 모양이 아주
다양합니다. 비행기들은 대부분 고정된
날개나 회전 로터를 가지고 있습니다.

근육의 힘

새들의 날개는 새들의 가슴
근육에 의해 움직인다. 가벼운
날개와 뼈는 무게를 줄여주기
때문에, 새들은 작은 힘으로도
하늘을 날 수 있다.

연대표 : 비행 개척자들

1000 BC

중국의 연

비단으로 만든 연을 날리는
풍습이 있었답니다. 큰
연은 사람을 하늘에 띄울
수도 있었답니다.

AD 1100

하늘을 나는 수도사

말메스버리의 아일머라는
수도사는 천으로 만든
날개를 시험하다가 다리가
부러졌답니다.

1617

낙하산

이탈리아 발명가
'파우스토 베란치오'는 천을 씌운
목제 낙하산을 만들었어요

이러면 안 돼요!

가구 위에 올라서거나 창문 밖으로 몸을 내밀지 마세요. 비행기를 사람이나 동물을 향해 날리지 마세요.

책 읽기

비행기가 어떻게 나는지 공부하고 비행기 전문가가 되어 봅시다. 어려운 용어에 대한 설명은 26쪽에 있습니다. '비행기 만들기'는 설명에 따라 직접 여러분이 비행기를 만드는 과정입니다.

상자 열기

이 책의 끝 부분에는 쉽게 뜯어내, 접을 수 있는 2대의 종이비행기 인쇄물이 있습니다. 그리고 책 뒤에 있는 상자에는 3대의 비행기를 만들 수 있는 재료들이 들어 있습니다.

비행 시작

20~23쪽에는 비행기 조종, 시험 비행 방법 그리고 여러 비행기 모델을 가장 멋지게 만드는 방법이 아주 쉽게 설명되어 있습니다.

더 자세하게 그리고 더 빠르게

실험 결과를 이 책의 24, 25쪽의 실험기록표에 기록하고, 아주 작은 변화가 비행에 어떤 영향을 미치는지 알아보세요.

1742
인간 새
마르퀴스 드 바뀌빌은 센 강을 건너 날아가다가 다리가 부러졌답니다.

1797
낙하산
자크 가르느랭은 풍선에서 뛰어내려 천으로만 만든 낙하산을 성공적으로 시험했어요.

1990
날개 비행복
날개가 달린 이 옷을 입고 하늘을 날 수는 있어요. 그러나 착륙하려면 낙하산이 필요하답니다.

비행기의 비행 원리

공기역학은 비행기와 같은 비행체 주위의 공기 운동과 흐름에 관한 학문을 말합니다. **추력, 양력** 및 **항력**이라고 하는 세 가지 힘은 비행기를 움직이기 위해 서로 다른 방향으로 작용합니다. 그러나 **중력**은 비행기를 아래쪽으로 끌어당깁니다.

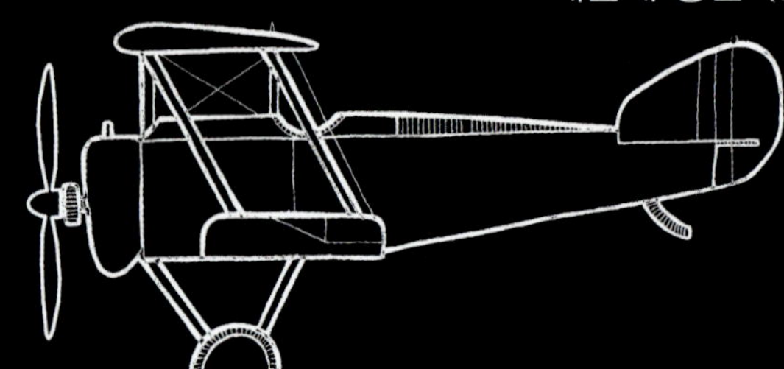

추력

이 힘이 비행기를 앞으로 날아가게 한다. 대부분 비행기들은 피스톤 엔진에 의해 작동되는 프로펠러, 또는 제트엔진을 사용하여 추력을 만들어낸다.

양력

위쪽으로 작용하는 이 힘이 비행기를 뜨게 만든다. 이 힘은 비행기 날개의 아래쪽에 작용하는 공기압력이 날개 위쪽에 작용하는 공기압력보다 더 크기 때문에 생긴다.

중력

이 힘은 비행기를 땅 아래로 끌어당긴다. 물체의 무게를 측정하여 중력을 계산한다. 무거운 비행기는 중력의 영향을 더 많이 받는다.

항력

비행기가 공중에서 앞으로 날아갈 때, 공기가 비행기를 앞쪽에서 뒤쪽으로 밀어 비행기 속도를 느리게 하는 힘을 항력이라고 한다.

연대표 : 공기역학

1783

열풍선

몽골피에 형제의 열풍선은 공기보다 가벼운 최초의 비행선이었습니다.

1804

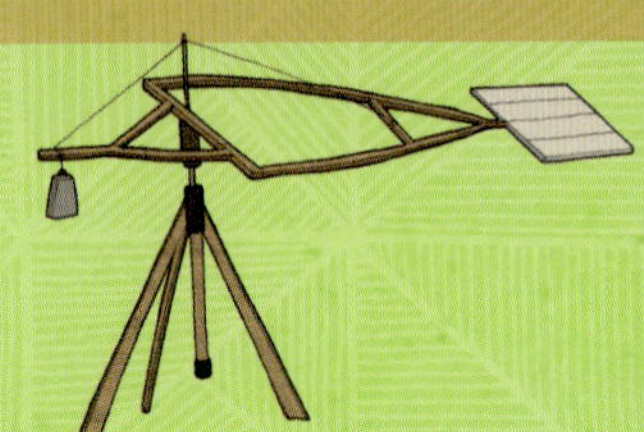

양력 기구

영국사람 조지 케일리 경은 소용돌이 팔 기구를 사용했습니다.

1896

비행 실험

미국의 기술자 '옥타브 샤누트'는 여러 대의 다엽-행글라이더로 비행실험을 했습니다.

추력을 만들어 내는 엔진의 힘

작은 비행기들은 기수(비행기 머리) 쪽에 피스톤 엔진이 설치되어 있습니다. 크고 빠른 비행기들은 제트엔진을 사용합니다. 제트비행기들은 가스를 태워 터빈을 아주 빠른 속도로 회전시켜서 추력을 만들어냅니다.

크고 넓은 날개가 양력이 생기는 것을 도와준다.

초기의 비행기 디자인은 공기역학을 거의 이용하지 않는 모양이었다.

가벼운 재료

중력의 영향을 줄이기 위해서 비행기는 가능한 한 가벼워야 합니다. 초기의 디자이너들은 버팀줄 및 캔버스 천을 사용했습니다. 그러나 최신 비행기에는 알루미늄이나 탄소섬유 등을 더 많이 사용합니다.

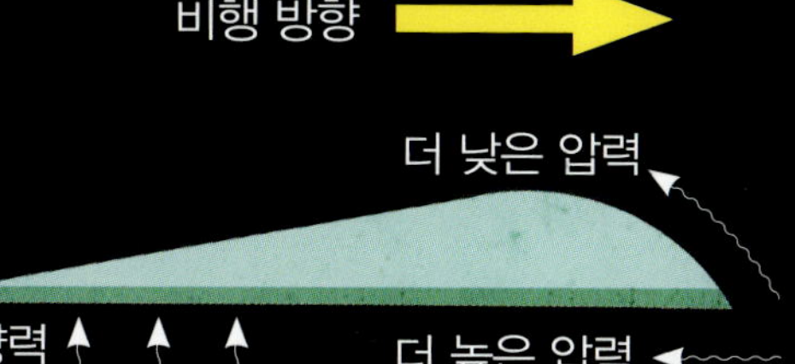

양력을 만드는 날개

날개의 형상을 '에어포일'이라고 한다. 공기는 날개의 아래쪽보다 날개의 위쪽에서 더 빠르게 흐른다. 이 공기속도의 차이 때문에 날개 위쪽의 공기압이 날개 아래쪽보다 더 낮다. 그리고 날개 위/아래의 공기압력의 차이가 양력을 생기게 한다.

추력을 만드는 프로펠러

프로펠러 날개는 에어포일 형상이다. 프로펠러가 돌 때, 프로펠러의 앞쪽보다 뒤쪽의 압력이 더 높다. 이 압력 차가 비행기를 앞으로 날아가게 하는 추력을 만들어낸다.

1903

비행기 엔진

최초로 제작된 비행기 엔진은 잘 작동했습니다. 그러나 발명가 '사무엘 랭글리'의 비행기는 산산이 부서졌습니다.

1912

듀펠듀상 레서

일체식 유선형 동체는 오늘날 비행기에 큰 영향을 주었습니다. 일체식 유선형 동체를 사용함으로써 더 빠르고, 더 부드럽게 비행할 수 있게 되었습니다.

1969

해리어 점프 제트기

회전 제트 엔진 덕분에 비행기가 수직으로 이륙 및 착륙할 수 있게 되었습니다.

플라잉 서페이스 FLYING SURFACES

플라잉 서페이스는 비행기의 비행방향과 비행속도를 제어하는, 움직일 수 있는 여러 개의 플랩으로 구성되어 있습니다. 비행기에 작용하는 중력, 양력, 추력 및 항력은 비행기 제어를 방해합니다. 그래서 플라잉 서페이스들은 비행기가 추락하지 않고 비행하도록 비행기를 제어합니다.

롤링, 요잉, 피칭 Roll, yaw, pitch

롤링은 좌우 날개가 서로 상대방 날개보다 높았다가 낮아졌다 하는 동작을 빠르게 반복하는 것을 말합니다. 요잉은 기수가 좌우로 움직임을 반복할 때 발생합니다. 그리고 피칭은 기수가 내려갔다 올라갔다 하는 동작을 반복하는 것을 말합니다.

방향타는 요잉을 제어한다. 조종사는 방향타를 조작하여 기수를 오른쪽 또는 왼쪽으로 향하도록 한다.

승강타는 비행기 꼬리의 수평 부분에 있다. 승강타를 올렸다 내렸다 하는 방법으로 기수의 피칭을 제어한다.

에일러론은 주 날개 뒷부분의 보조날개를 말한다. 좌우 보조날개를 동시에 하나는 아래쪽으로 다른 하나는 위쪽으로 올려 롤링을 제어한다.

조종실

조종사는 조종간과 방향타 페달을 사용하여 비행기의 플라잉 서페이스들을 작동시킵니다.
스로틀로 엔진의 회전속도를 조종합니다.

연대표 : 플라이트 서페이스

1903

라이트(WRIGHT) 비행기
조종 가능한 최초의 비행기. 조종사가 자신의 엉덩이를 움직여 비행기를 조종했답니다.

1908

드모아젤
브라질의 아우베르투 산투스두몽의 비행기는 승강타와 방향타가 결합한 꼬리 부분을 바퀴를 사용하여 제어했답니다.

1908

에소놀 펠트리의 단엽기
비행기를 조종하기 위해 보조날개와 조종간을 사용한 최초의 비행기랍니다. .

플라잉 서페이스의 작동 방법

롤링 ROLL

롤링하고 싶은 방향으로 조종간을 밀어서 롤링을 제어한다.
보조날개를 들어 올리면 그 날개는 내려간다. 다른 쪽 보조날개를
아래쪽으로 내리면, 그 날개는 위로 올라가고 비행기는 롤링하게 된다.

**보조날개의
측면도**

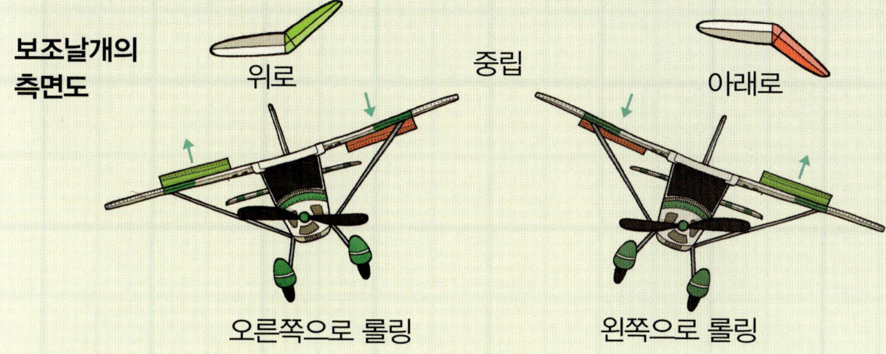

요잉 YAW

오른쪽 또는 왼쪽 방향타 페달을 밟아서 원하는 방향으로 기수를 돌린다.

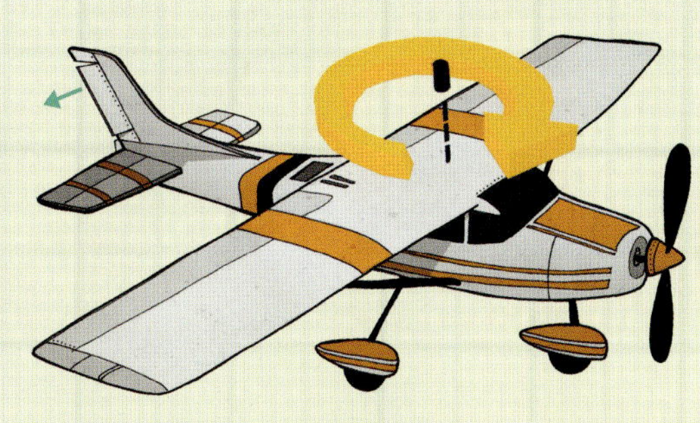

피칭 : 위로

조종간을 조종사 쪽으로 잡아당기면, 승강타가 올라가고 기수도
올라간다.

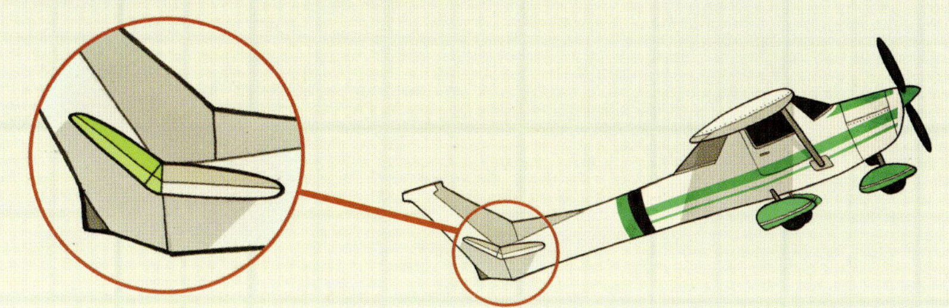

피칭 : 아래로

조종간을 앞쪽으로 밀면, 승강타는 내려가고 기수도 내려간다.

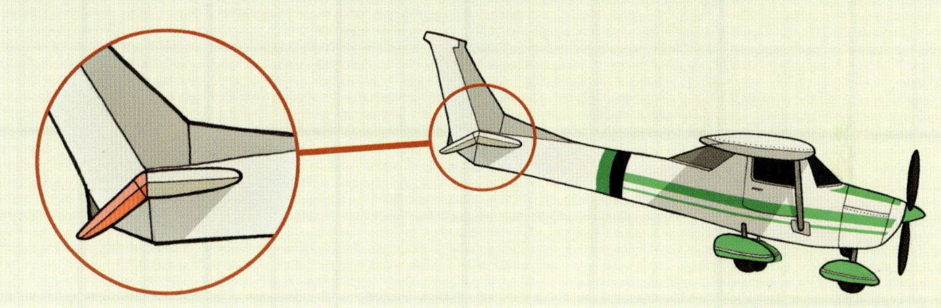

갤럭틱 글라이더 GALACTIC GLIDER

실제 글라이더처럼, 종이 글라이더도 최대 양력을 발생시키기 위해 긴 날개를 사용할 것입니다. 삼각형 또는 D자 모양의 날개는 항력을 줄여주기 때문에, 글라이더가 아래쪽으로 비행할 때는 속도를 높여줄 것입니다.

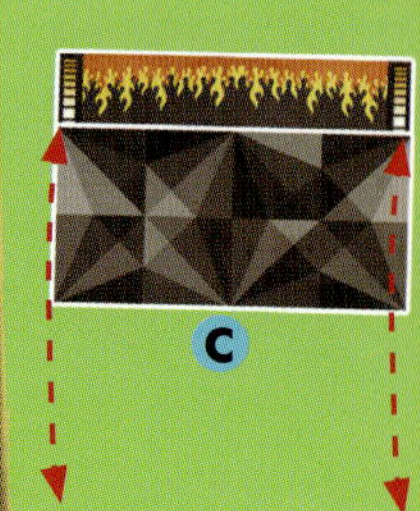

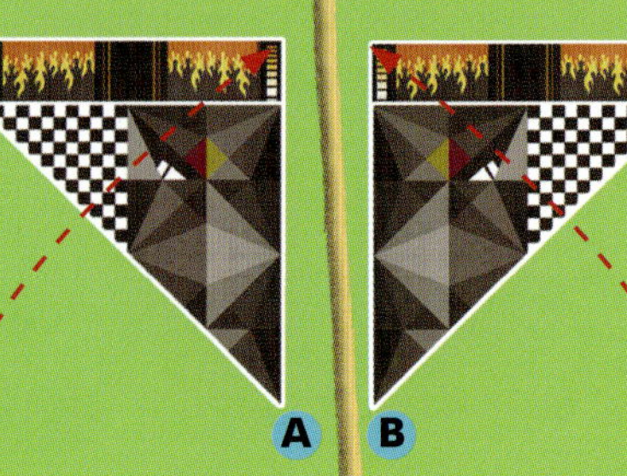

최신식 글라이더는 탄소섬유와 같은, 가벼우면서도 강한 재료로 만든다.

좁고, 매끄러운 동체는 글라이더의 속도를 느리게 하는 항력을 감소시켜 준다.

무게를 줄이기 위해, 2인승 이상의 글라이더는 거의 만들지 않는다.

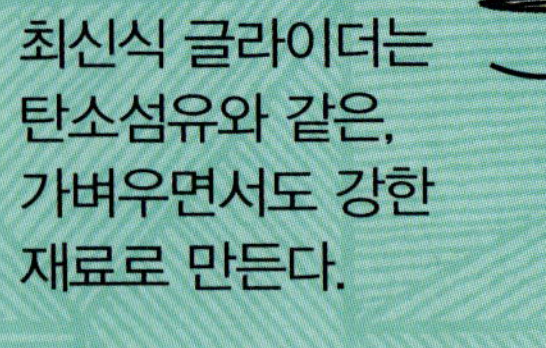

1 27쪽의 갤럭틱 글라이더 종이를 떼어낸다. 선 **A**를 따라 확실하게 접어서 주름을 만든다. 선 **B**를 따라 똑같이 접어 주름을 만든 다음 종이를 뒤집는다. 선 **C**를 따라 확실하게 접은 다음, 원상태로 되돌린다.

무동력 비행기 Unpowered flight

글라이더는 동력 비행기 또는 지상의 자동차로 끌어서 하늘로 날아가게 합니다. 글라이더가 하늘에 머무는 것을 돕기 위해서, 위로 올라가는 따뜻한 기류를 이용합니다.

글라이더는 비행기와 똑같은 조종장치들을 갖추고 있습니다. 그러나 글라이더는 엔진이 없으므로 스로틀이 없다는 점이 비행기와 다를 뿐입니다.

따뜻한 기류 또는 온난 상승 기류

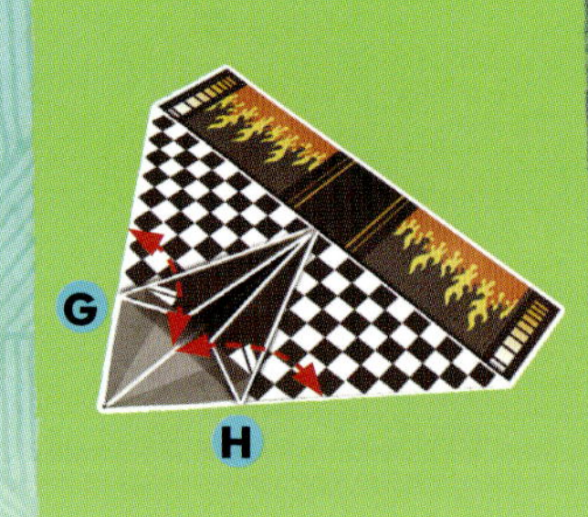

5 선 **G**와 **H**를 따라 접은 다음, 원상태로 되돌린다. 선 **I**와 **J**를 따라 접은 다음, 원상태로 되돌린다.

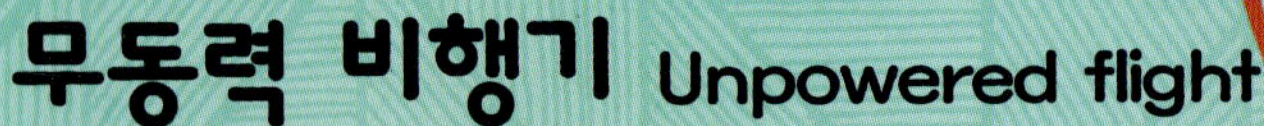

연대표 : 글라이더

1853

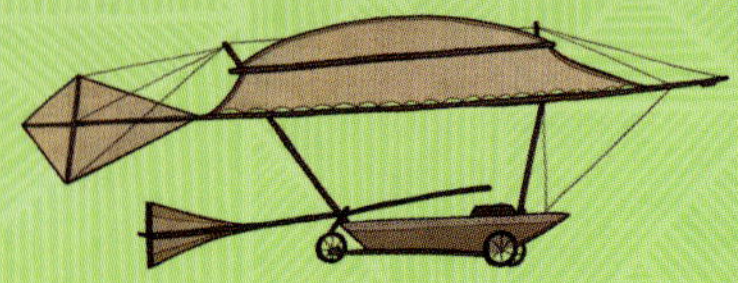

조지 케일리 경의 글라이더
이름이 알려지지 않은 하인이 최초의 조종 가능한 글라이더 비행기로 비행했답니다.

1891

오토 릴리엔탈
독일 기술자가 비행하면서 행글라이더의 조종법을 배웠답니다.

1921

뱀파이어 글라이더
이 목재 글라이더의 혁신적 디자인은 후대의 글라이더에 큰 영향을 주었답니다.

2 종이를 뒤집는다.
주름들의 중앙을 누른다.
위치 1, 2 및 3을 위치 4를 향해 돌린다.

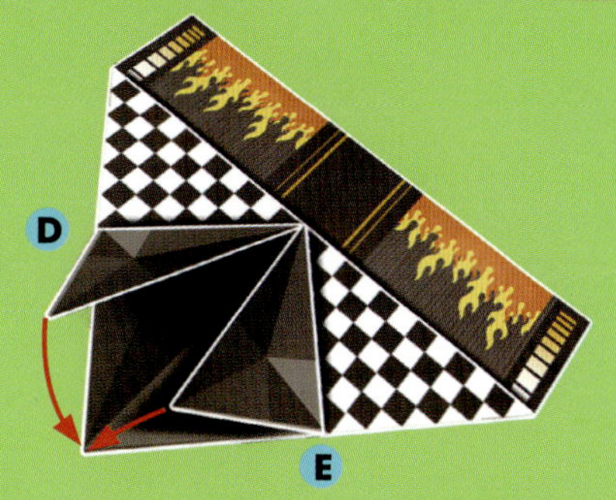

3 선 D와 E를 따라 맨 위의 층을
아래로 접는다.

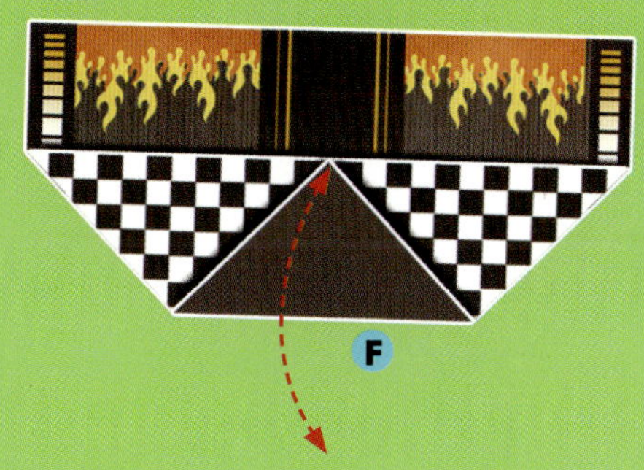

4 선 F를 따라 확실하게 접은 다음
원상태로 되돌린다.

6 엄지와 검지로 선 F의 바깥쪽
가장자리를 잡는다.
선 F를 따라 꽉 누르고, 각 변의 삼각
꼭짓점이 되도록 안쪽으로 접는다.
접는 사람을 향하도록 꼭짓점을
평평하게 한다.

7 종이를 뒤집는다.
선 K를 따라 접는다.

8 선 L을 따라 안쪽으로
접는다.

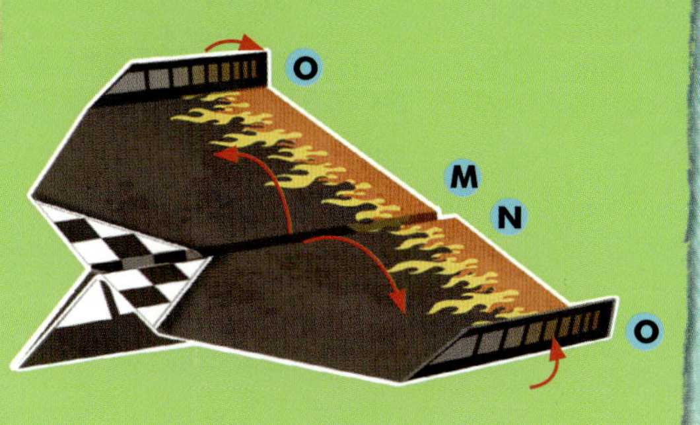

9 선 M과 N을 따라 바깥쪽으로 접는다.
양쪽 날개 위의 선 O를 따라 위쪽으로
접는다.
비행 방법과 시험 비행에 대한 설명은
20~23쪽을 참고한다.

1962

NASA 퍼리시브
날개가 3각형이며, 조종이 가능한
이 비행기는 현대의 행글라이더
디자인에 영감을 주었답니다.

1963

패러포일 패러글라이더
바람에 의해 팽창되는
에어포일 날개를 사용한,
조종 가능한 낙하산

1993

**DG-800 시리즈
글라이더**
날개 길이가 18미터나 되는
현대식 1인승 글라이더(독일)

데들리 다트 DEADLY DART

데들리 다트 모델은 날개 모양이 삼각형입니다.
실제로 이런 모양의 비행기는 항력이 아주 적기 때문에
아주 빠르게 비행할 수 있답니다. 그리고 속도가 빨라서
착륙하기 전에 멀리 날아갑니다.

1 28쪽의 데들리 다트를 떼어낸다. 떼어낸 종이를 선 **A**를 따라 반으로 접은 다음, 원상태로 되돌린다.

3각형 모양의 후퇴날개는 고속으로 비행할때 발생하는 충격파로부터 비행기를 보호합니다.

날씬한 동체와 뾰쪽한 기수는 항력을 감소시켜 준다.

삼각형 날개는 다른 일반적인 비행기 날개보다 훨씬 더 튼튼하다. 또한 일부 삼각형 날개는 연료를 저장할 수 있을 만큼 크기가 크다.

4대의 터보 제트엔진은 최대 항속속도에 도달하는데 충분한 추력을 만들어 낸다.

스팁 클라임버 Steep climbers

삼각형 날개는 자신의 앞 가장자리를 따라 발생하는 공기 소용돌이(와류)로부터 양력을 만들어 냅니다. 이 양력은 날개각이 가파르면 가파를수록 더 많이 상승합니다. 그래서 삼각형 날개 비행기는 보통 비행기보다 더 가파르게 상승할 수 있답니다.

연대표 : 삼각형 날개

1931

델타 1
독일의 알렉산더 리피쉬가 최초로 삼각형 날개를 가진 비행기를 설계했답니다. 이 비행기는 꼬리가 없답니다.

1964

SR-71 "블랙버드"
이 미국 폭격기는 세계에서 가장 빠르고 가장 높이 비행할 수 있는 비행기였답니다.

1974

F-14 톰캣
이 미국 전투기는 고속비행을 위해 자신의 삼각형 날개를 자동으로 후퇴시킬 수 있답니다.

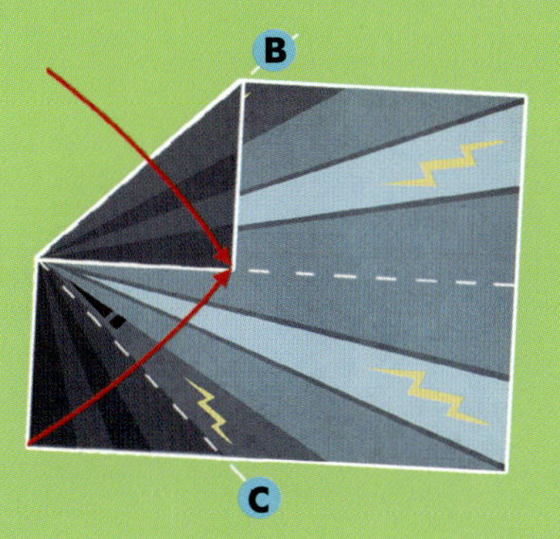

2 선 **B**와 **C**를 따라 안쪽으로 접은 다음, 선을 확실하게 주름잡는다.

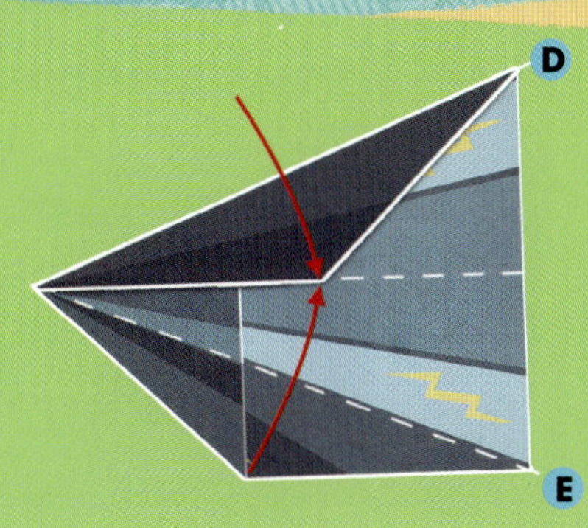

3 선 **D**와 **E**를 따라 안쪽으로 접는다.

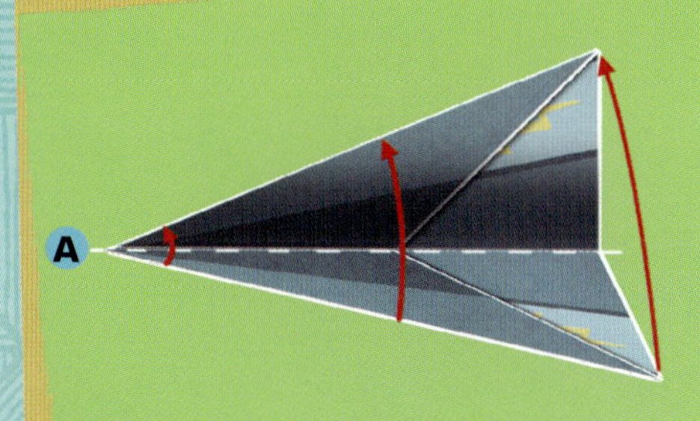

4 선 **A**를 따라 종이를 접는다. 안쪽의 플랩도 함께 접는다.

5 선 **F**를 따라 바깥쪽 가장자리를 뒤로 접는다.

6 선 **G**를 따라 똑같이 한다.

7 비행기의 비행궤적을 제어하는 날개 끝을 접고, 조정한다.
비행 방법과 시험 비행에 대한 설명은 20~23쪽을 참고한다.

1976

콩코드
음속의 2배인 마하 2로 비행하는 초음속 여객기

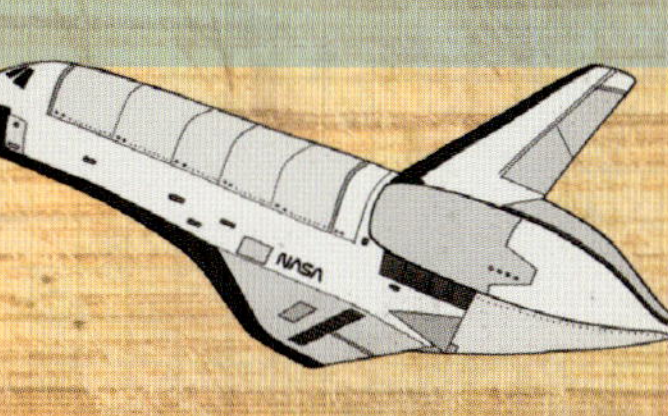

1976

엔터프라이즈
이 미국 우주선은 비행기처럼 우주로부터 지상에 착륙했답니다.

2003

유로파이터, 타이푼
날개 앞부분에 달린 작은 수평 날개가 더욱더 안정된 고속 비행을 가능하게 해준답니다.

헬리콥터 HELICOPTER

헬리콥터 로터는 아주 빠르게 회전하여, 양력과 추력 두 가지를 모두 만들어 냅니다. 실제 헬리콥터에서는, 로터를 조정할 수 있기 때문에 추력이 어느 방향으로나 향하게 할 수 있습니다. 헬리콥터가 수직으로 이륙 및 착륙하고, 어느 방향으로도 비행할 수 있으며, 공중에서 빙빙 돌 수 있는 것은 모두 로터 덕분입니다.

로터 축은 토크라고 하는 회전력을 만들어낸다. 회전력이 동체를 돌게 한다.

블레이드(날)는 로터축에 설치되며, 날개 모양으로 생겨서 양력을 쉽게 만들어낸다.

꼬리 로터는 동체의 회전에 반대되는 토크를 발생시켜 헬리콥터가 안정된 자세를 유지할 수 있도록 해준다.

터보샤프트 파워 Turboshaft power

대부분의 헬리콥터는 터보 샤프트 엔진을 사용합니다. 터빈이 로터 축을 돌리는 것을 제외하면, 터보샤프트 엔진은 제트엔진과 비슷하답니다. 헬리콥터가 수직으로 이륙하기 위해서는 엔진의 힘이 아주 세야 합니다.

연대표 : 헬리콥터

1483

레오나르도 다빈치의 헬리콥터
사람의 힘으로 작동시키는 비행기라서 하늘을 날기에는 너무 무거웠답니다.

1907

코르뉴 헬리콥터
쌍둥이 로터가 비행기를 뜨게 했답니다. 그렇지만 조종을 할 수가 없었답니다.

1923

시에르바 C4
스페인 사람 후안 데 라 시에르바가 성공적인 오토자이로(회전날개를 가진 비행기)를 만들었답니다.

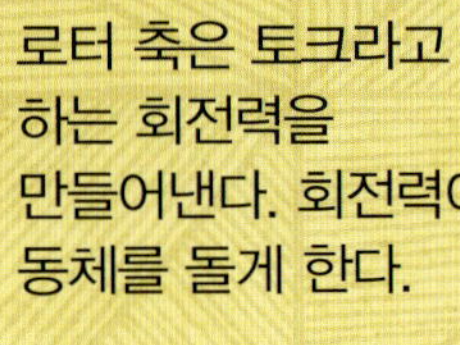

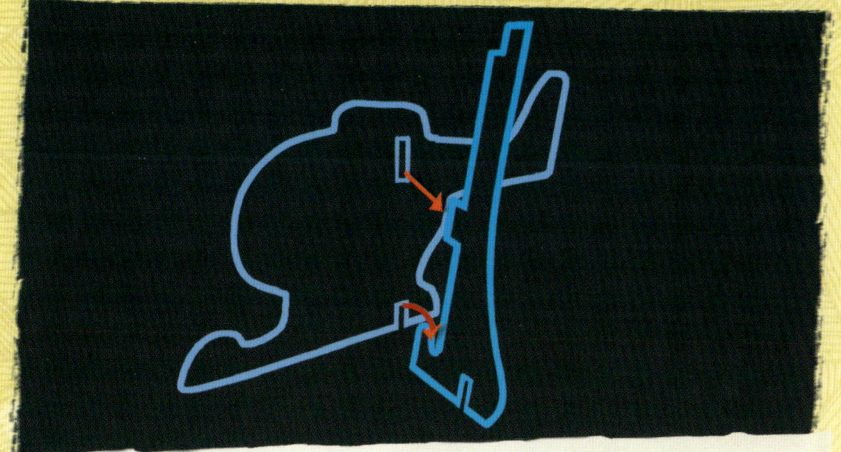

1 헬리콥터 몸체를 중앙 지지대의 밑바닥에 있는 홈에 끼운다. 비행기 몸체의 구멍을 지지대 중간의 탭에 밀어 넣는다.

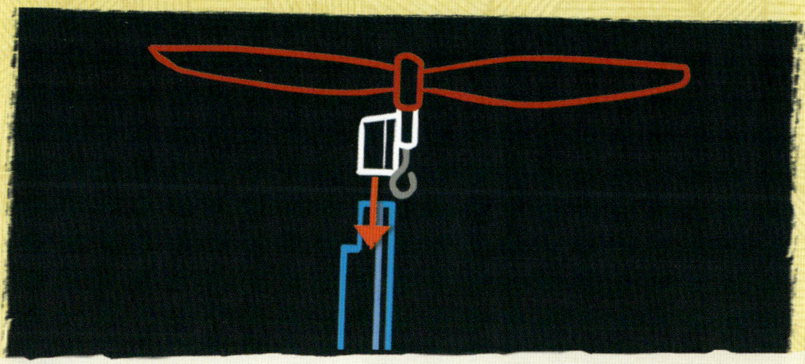

2 프로펠러의 플라스틱 커넥터를 지지대 꼭대기의 탭에 천천히 밀어 넣는다. 이때 와이어 훅이 헬리콥터의 몸체로부터 약간의 간격을 유지하게 해야 한다.

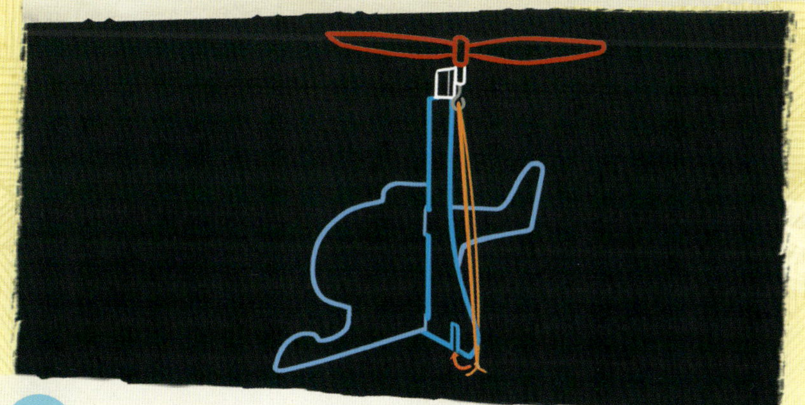

3 20cm 고무줄의 양 끝을 묶어서 8cm 밴드를 만든다. 고무밴드를 프로펠러 와이어 훅에 건 다음, 묶은 끝을 지지대의 아래쪽으로 잡아당겨서, 홈에 끼운다.

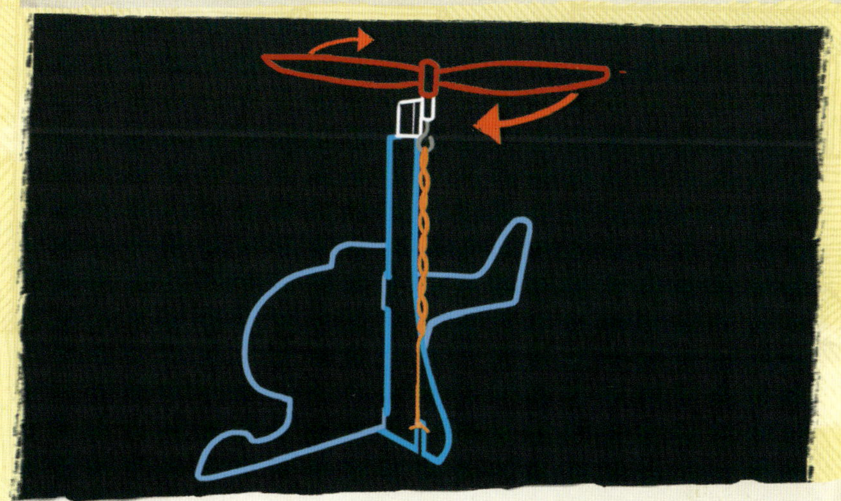

4 헬리콥터를 날리기 위해 프로펠러를 시계방향으로 100번 감은 다음, 헬리콥터를 공중으로 날리기 직전에 프로펠러에서 손을 뗀다. 비행 방법과 시험 비행에 대한 정보는 20~23쪽을 참고한다.

1936
포케-볼프 FW 61
최초의 헬리콥터는 비행기 동체와 오토자이로 로터를 사용했어요.

1942
시코르스키 R-4
세계 최초로 가장 많이 만든 이 헬리콥터는 제2차 세계대전 중에 사람을 구조하는 데 사용했답니다. .

1961
보잉 CH47 치누크
쌍둥이 로터를 사용하는, 이 미군 헬리콥터는 무거운 짐이나 많은 군인을 수송할 수 있도록 설계했습니다.

단발 스타라이트 SINGLE-PROP STARLITE

스타라이트는 프로펠러가 1개인 비행기로서, 가장 대표적인 자가용 비행기랍니다. 실제 비행기와는 다르게 모델 비행기는 고무줄로 작동시킵니다. 고무줄은 꼬으면 에너지를 저장했다가 풀리면서 프로펠러를 돌립니다.

단발 프로펠러의 힘 Single-prop power

단발 프로펠러는 비행기의 추력을 만들어냅니다. 최고의 성능을 얻기 위해 프로펠러의 각도를 바꿀 수 있으며, 프로펠러 대부분은 블레이드가 2개 또는 그보다 더 많습니다.

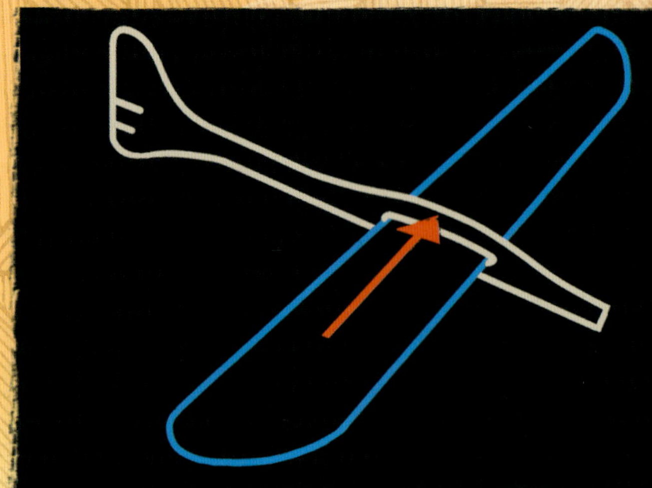

연대표 : 단발 비행기

1852

지파르 비행선
프랑스의 이 증기 동력 비행선은 조종이 가능한, 공기보다 가벼운 최초의 비행기에요.

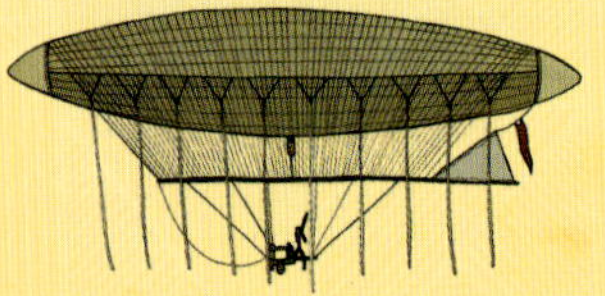

1874

드템플 단발기
이 증기 동력 단발기는 잠깐 동안 하늘을 날았어요.

1909

블레리오 XI
이 프랑스 단발기는 영국해협을 건넌 최초의 비행기랍니다.

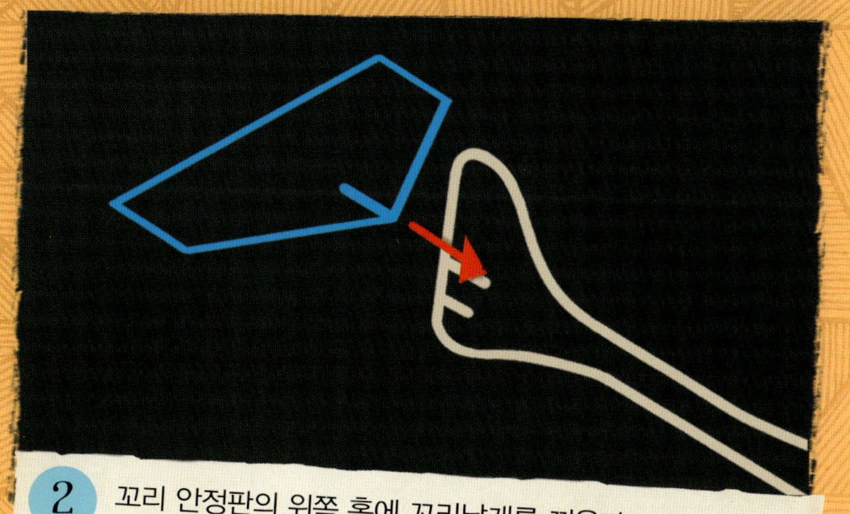

꼬리 안정판의 위쪽 홈에 꼬리날개를 끼운다.
(아래 홈은 고무줄을 끼우는 홈이다)

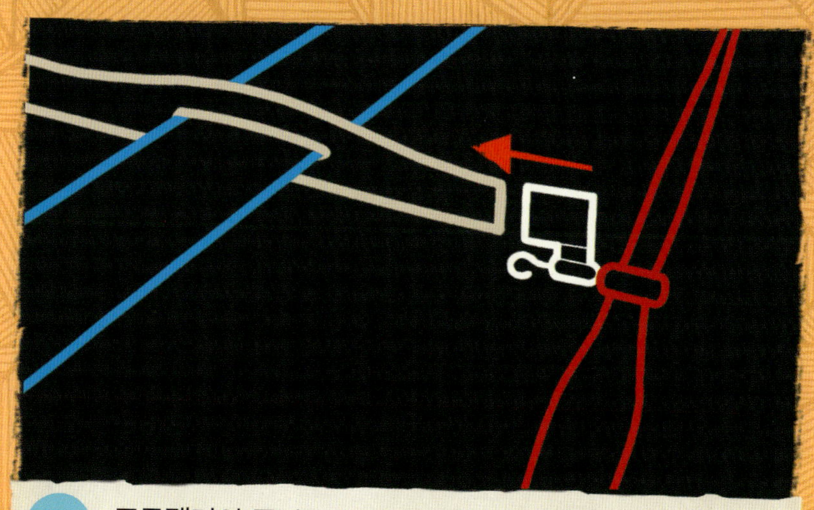

프로펠러의 플라스틱 커넥터를 부드럽게 기수에 밀어
넣는다. 이때 철선 훅은 비행기의 아래쪽에 있어야 한다.

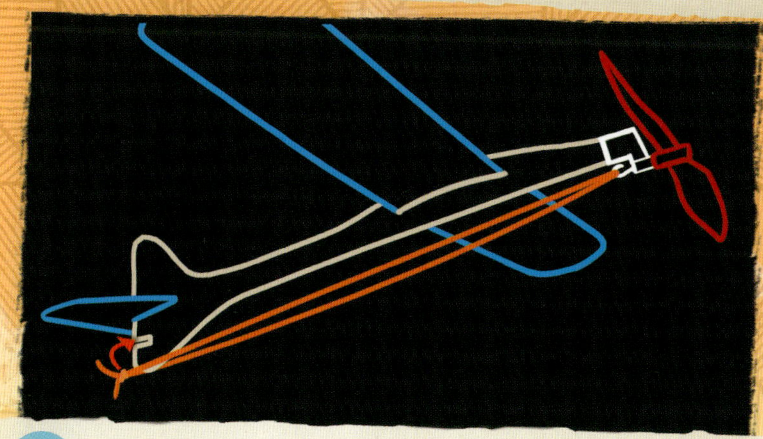

30cm 고무줄의 양 끝을 묶어서 12cm 고무줄을 만든 다음,
프로펠러의 와이어 훅에 건다. 묶은 끝을 꼬리 쪽으로
잡아당겨서 꼬리 안정판의 아래 홈에 끼운다.

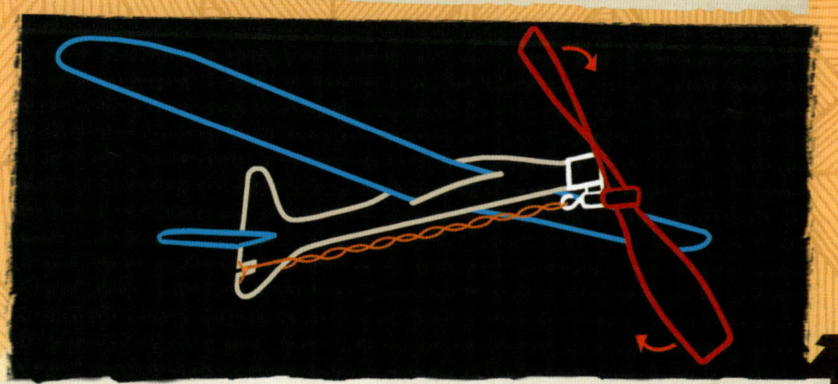

비행기를 날리기 위해 프로펠러를 시계방향으로 100번
감은 다음, 비행기를 눈높이 수평 상태에서 날리기 직전에
프로펠러에서 손을 뗀다. 비행 방법과 시험 비행에 대한 설명은
20~23쪽을 참고한다.

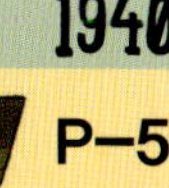

1940

P-51 머스탱
이 빠른 미군 폭격기는
3개월 만에 개발했습니다.

1947

볼턴 폴 발리올
이 비행기는 터빈과
프로펠러를 결합한 최초의
터보-프로펠러 비행기랍니다.

1955

세스나 172
세계에서 가장 인기가
많은 단발기

쌍발 슈퍼스타 TWIN-PROP SUPERSTAR

프로펠러가 2개인 쌍발기는 성능이 더 좋습니다. 비행기 엔진이 2대이면, 더 빠르게 비행할 수 있으며, 양력도 더 큽니다. 아래쪽에 설치된 쌍둥이 엔진은 더 많은 연료가 있어야 합니다.

엔진은 '붐'이라고 하는 2개의 꼬리 부분에 있다. 이 부분에는 조종실과 화물을 실을 수 있는 또 다른 공간이 있다.

비상시에는, 엔진 1대만으로도 비행할 수 있다.

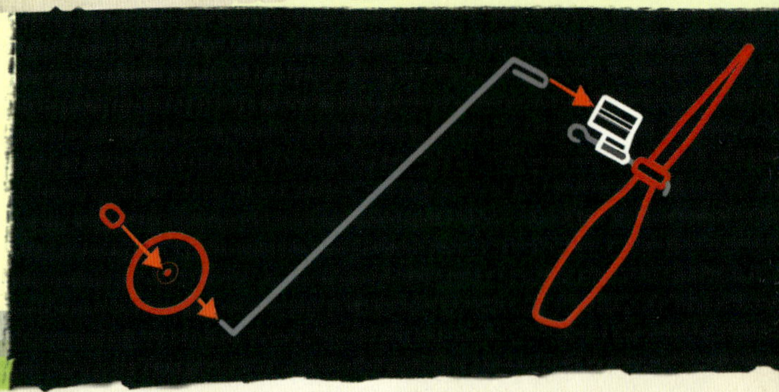

조종실에는 스로틀이 2개 있습니다. 엔진마다 1개씩. 방향타 2개가 동시에 작동하기 때문에 페달은 1세트만 있습니다.

터보 파워 Turbopower

전투기의 쌍둥이 엔진은 큰 힘을 지원하기 위해 터보 과급기를 사용합니다. 터보 과급기는 연료와 공기를 더 많이 엔진 안으로 밀어 넣습니다.

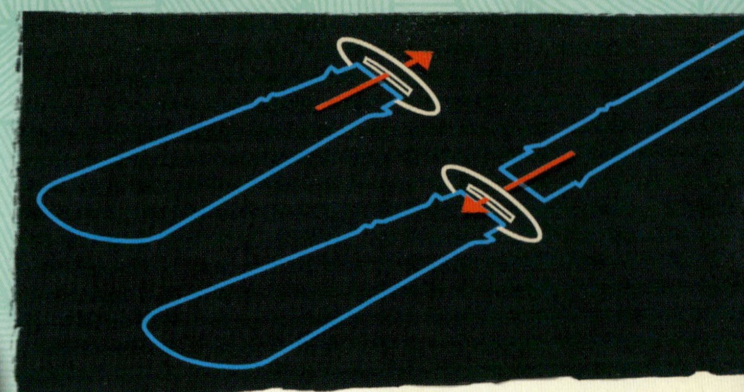

준 비 물

비행기 몸체 – 2개

조종실 부분

수평 꼬리날개

날개 – 2개

프로펠러 – 2개

고무줄(길이:30cm, 2개)

휠 와이어 – 2개

휠 – 2개

휠 와이어 캡 – 2개

접착제

1 날개의 색깔이 있는 부분을 위로 향하게 한 다음, 날개의 한쪽 조각을 조종실 홈에 밀어 넣는다. 남은 다른 날개의 반 조각을 똑같은 방법으로 다른 쪽에서 밀어 넣어 2개의 조각이 하나로 서로 겹치게 한다.

4 L자 모양의 휠 와이어의 끝에 바퀴를 하나 끼운다. 접착제로 휠 와이어 캡을 접착한 다음 접착제가 완전히 마를 때까지 바퀴를 잡고 있어야 한다. 와이어의 반대 끝을 프로펠러의 플라스틱 커넥터에 끼운다. 고무줄 과 바퀴가 모두 커넥터의 아래에 있는지 확인한다.

연대표 : 쌍둥이 엔진

1906

라이트 모델 A
최초의 여객기는 라이트 형제의 비행기 시리즈로부터 개발되었다.

1919

F-60 파르망 골리아트
폭격기로 개발됨.
이 프랑스 복엽기는 여객기로도 제작되었다.

1935

더글라스 DC3
이 비행기는 홈 위에 착 수 있었으며, 미국 항공 발전의 시초가 됨.

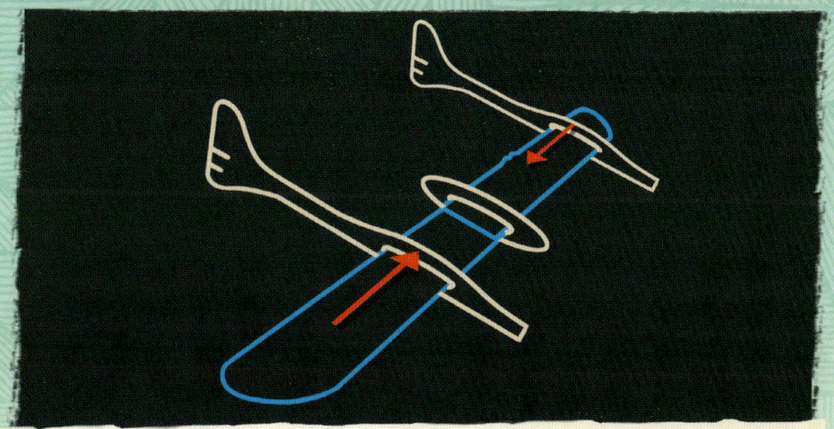

2 비행기의 본체 중 하나를 한쪽 날개의 중앙으로 밀어 넣는다. 기수의 끝이 정면을 향하는지 확인한다. 똑같은 방법으로 또 다른 비행기 본체를 반대쪽 날개에 끼운다.

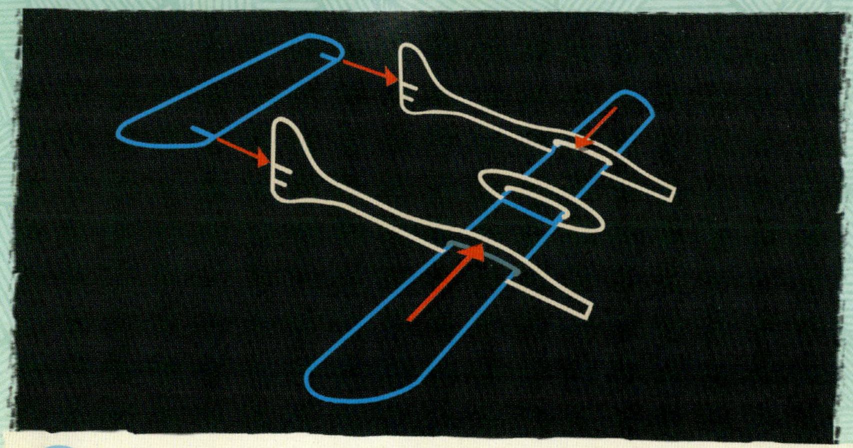

3 수평 꼬리날개를 꼬리 안정판의 위쪽 홈에 끼운다. (아래 홈은 고무줄을 끼우는 홈이다.)

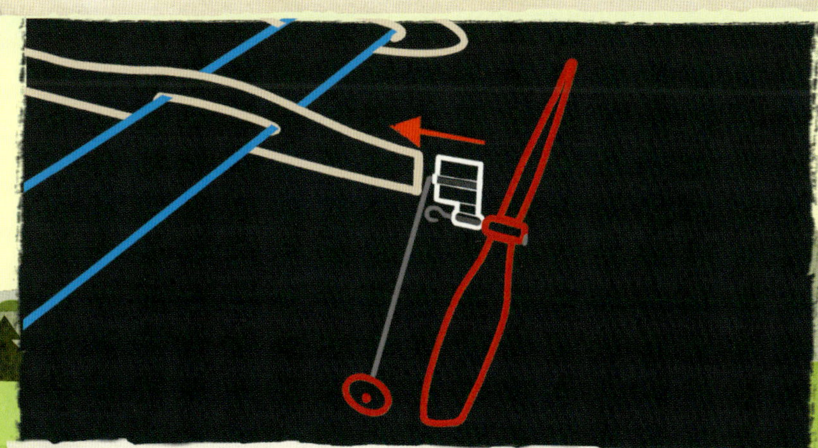

5 조립한 유닛을 한쪽의 기수에 끼운다. 이때 바퀴는 바깥쪽으로 향하게 한다. 똑같은 방법으로 나머지 바퀴와 프로펠러 유닛을 반대쪽 기수에 조립한다.

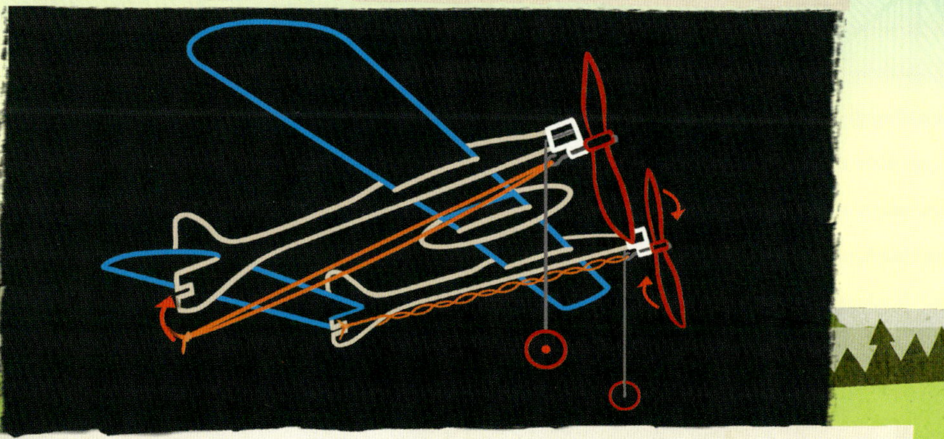

6 30cm 고무줄의 양 끝을 묶어서 12cm 고무줄을 만든 다음, 한쪽 프로펠러의 와이어 훅에 건다. 묶은 끝을 꼬리 쪽으로 잡아당겨서 꼬리 안정판의 아래 홈에 끼운다. 비행 방법과 시험 비행에 대한 설명은 20~23쪽을 참고한다.

1937

록히드 P-38 라이트닝 이 미국 폭격기는 장거리 폭격용으로 가장 완벽했다.

1941

하빌랜드 모스키토 영국의 목재 전투 폭격기는 세계에서 가장 빠른 비행기였습니다.

1960

비치 크라프트 배런 이 미국제 쌍발 상용 비행기는 오늘날에도 여전히 인기가 많답니다.

비행 조종 FLIGHT CONTROL

초기의 비행기 디자이너들은 종이비행기를 이용하여
시험했는데, 그 이유는 똑같은 힘들이 실제 비행기와
종이비행기 모두에 작용하며, 비행에 똑같은 영향을
미치기 때문이에요. 비행기가 비행할 때 비행기에
작용하는 힘은 중력, 양력, 추력 그리고 항력입니다.
직접 만든 비행기로 실험하기 전에 반드시 비행 조건들은
안전한지 확인해야 합니다. 그래야만 최고로 좋은 결과를
얻을 수 있답니다.

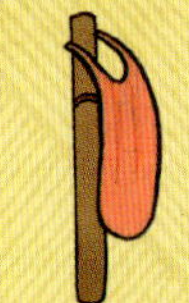

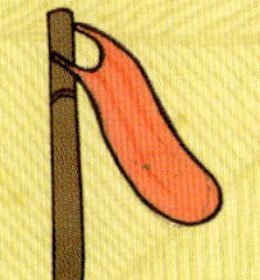

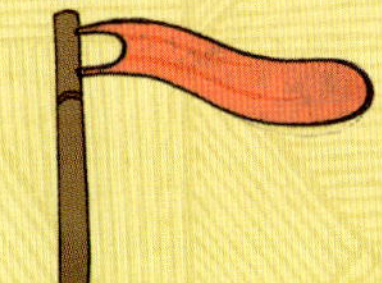

바람 없음 :
완벽한 비행

약간의 바람 :
비행제어에 영향을
미칠 수 있음.

세찬 바람 :
밖에서 비행하기 좋은
날씨가 아님.

비행 조건 Flight conditions

야외에서 비행하기 위해서는 비행 조건을 점검해야 합니다.
비 또는 심한 바람은 비행기의 제어를 어렵게 해요. 가벼운
주머니와 막대기를 이용하여 풍향 기드림을 만들어 보세요.
비행 조건을 평가하기 위해서 풍향 기드림을 매단 막대기를
똑바로 세우고 기드림이 어떻게 움직이는지 살펴보세요.

어디서 하면 좋을까요?

● 바람이 거의 불지 않는 날에 날린다.

● 자동차나 철로로부터 멀리 떨어진 곳에서
비행기를 날린다.

● 가능한 한, 잔디가 아닌 딱딱한 곳에서
비행기를 날린다.

● 벽이나 다른 딱딱한 물체에 부딪히지 않게
비행기를 날린다.

● 애완동물이나 어린이들에게서 멀리 떨어져서
비행기를 날린다.

1490년경

레오나르도 다빈치의 날개치기 비행기
조종사가 발로 날개를 퍼덕였어요.
비행기가 너무 무거워서
잘 날 수가 없었어요.

1890

클레멘트 아더의 에올리
증기동력 비행기로서 잠깐
날았어요, 그렇지만 비행을
제어할 수는 없었어요.

1903

비행기 엔진
라이트 형제의 휘발유
엔진은 비행에 충분한 힘을
낼 수 있었어요.

실내 비행 Indoor flights

받음각 Angle of attack

받음각이 너무 적으면, 날개가 만드는 양력이 적기 때문에 비행기가 갑자기 아래로 곤두박질 칠 수도 있어요. 받음각이 너무 크면, 비행기는 가파르게 올라갈 거예요. 그러나 갑자기 양력을 잃어버릴 수도 있어요.

종이비행기 Paper planes

눈높이 또는 그 이상으로 비행기를 힘껏 날려 보세요. 받음각을 바꾸어 실험해 보세요.
아래쪽으로 날려 보세요.
위쪽으로 날려 보세요.
직선으로 날려 보세요.
실험기록표에 점선으로 비행경로를 기록해 보세요.

프로펠러-동력 비행기 Propeller-powered planes

비행기를 처음에는 부드럽게 미끄러지듯 날려 보세요.
비행기를 날릴 때마다 똑같은 힘으로 날려 보세요.
비행기가 잘 날아가면, 프로펠러 힘으로 날아가는 실험을 시작해 보세요.

1939 하인켈 HE 178

최초의 제트 비행기.
프랭크 휘틀이 1928년에 제트엔진을 발명했어요.

1979 고사머 알바트로스

페달-동력식 비행기.
사람이 페달을 밟아 최초로 영국해협을 건넜어요.

2010 솔라 임펄스

태양 에너지를 이용하는 비행기.
26시간 동안 무착륙 비행 및 최고 고도 8,700M에 도달했어요.

시험 비행 TEST-FLIGHT

비행기를 디자인하는 것은 시작일 뿐이에요. 새 비행기는 여러 가지 다양한 방법으로 시험해서 디자인의 결점을 찾아내고 또 고쳐서 더 좋은 비행기를 만들어야만 해요. 여러 가지 시험을 하고, 그 결과를 실험 기록표에 기록하세요.

종이비행기 Paper planes

실제 비행기에서는 날개에서 날개 끝이 가장 높아요. 날개 끝이 롤링이 없는 수평비행을 가능하게 하는 거예요. 종이비행기의 날개 끝을 위쪽으로 접어서 그 결과를 확인해 보세요.

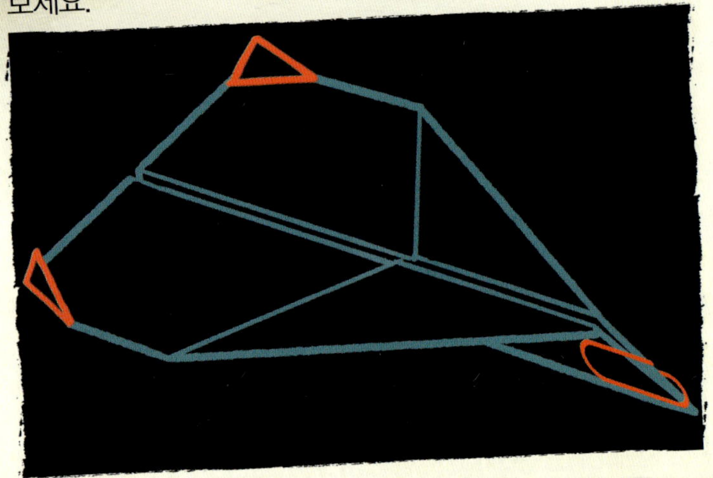

흔들거리지 않고 안정된 비행을 하기 위해서는, 비행기가 공중에서 균형을 잘 잡아야만 해요. 여러분의 데들리 다트의 기수에 종이 집게를 붙이고 날려서, 어떤 일이 벌어지는지 확인해 보세요.

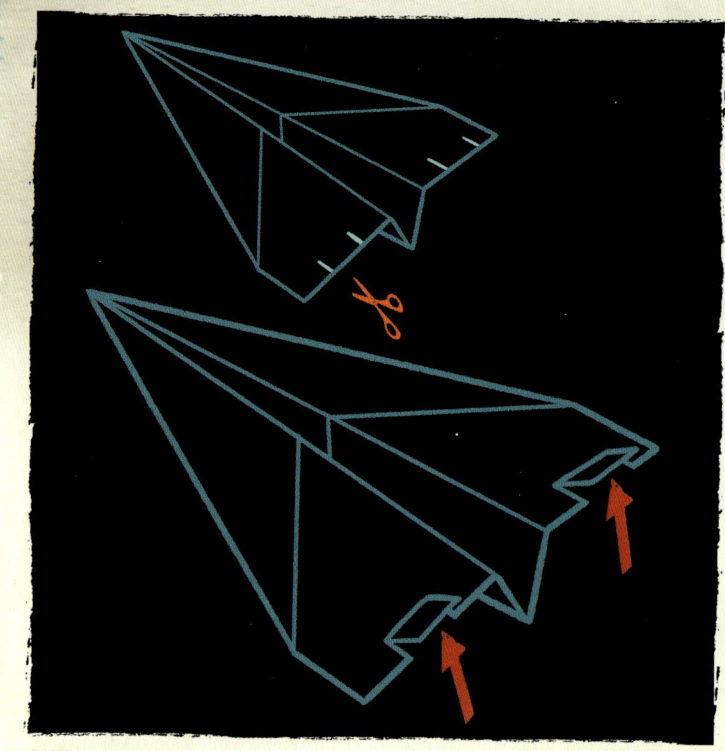

여러분의 종이비행기 날개의 뒷전에 홈을 파서 승강타를 만들어 보세요.
승강타를 위쪽으로 또는 아래쪽으로 약간 구부리면, 비행 결과가 어떻게 변할까요?

헬리콥터

프로펠러를 100번 감은 다음 날려 보세요. 그 다음에 150번, 200번까지 감은 다음 날려 보세요. 헬리콥터의 비행속도를 얼마나 높일 수 있는지 확인해 보세요.

쌍발 슈퍼스타
Twin-prop Superstar

두 프로펠러를 150번씩 감은 다음에, 비행기를 수평으로 날려 보세요.

프로펠러를 하나만 감은 상태로 비행기를 날려 보세요. 비행 경로와 비행 거리에 어떤 영향을 미칠까요?

비행기를 날리기 전에 꼬리 부분에 작은 동전을 접착테이프로 붙여서 무게를 증가시킨 다음에 비행기를 날려 보세요. 승강타를 조정하여 비행기의 균형을 잡을 수 있을까요?

땅 위로부터 비행기가 하늘로 날아가는 실험을 해 보세요. 매끄러운 활주로가 필요할 거예요. 학교 체육관 같은 넓은 곳이 좋겠지요. 비행기가 필요로 하는 여분의 힘을 만들어 주기 위해 2개의 프로펠러를 각각 200번씩 감아 보세요.

단발 스타라이트 Single-prop Starlite

프로펠러를 100번 감은 다음에, 비행기를 적당히 수평을 유지한 상태에서 프로펠러로부터 손을 떼고 비행기를 날려 보세요. 150번을 감은 다음에 남아 있던 힘이 어떤 차이를 만드는지 확인해 보세요.
200번을 감으면, 어떤 일이 일어날까요?
비행 거리와 비행 경로를 실험 기록표에 기록해 보세요.

승강타의 각도를 위쪽으로 조정하고, 비행기를 날려 보세요.
비행기에 어떤 영향을 미칠까요?
만약 각도를 아래쪽으로 바꾸면 어떻게 될까요?

수리 Repairs

시험 비행 중에 비행기가 손상될 수도 있습니다. 이때 간단한 것은 바로 고칠 수 있도록 접착제를 조금 준비하세요. 때로는 어른들의 도움이 필요할 수도 있답니다.

테스트	비행기 이름	날짜	시간	장　소

조 건	자세한 시험 내용	결 과

용어 사전

금속 피로 METAL FATIGUE
금속이 응력을 받을 때 일정 시간이 지난 다음부터 생기는 아주 미세하게 갈라진 틈새. 아주 작지만 위험하다.

꼬리날개 TAIL PLANE
비행기 꼬리의 수평 날개. 미익이라고도 한다.

단엽기 MONOPLANE
날개가 하나로 되어 있는 비행기

대기압 AIR PRESSURE
물체에 작용하는 공기의 힘

델타 윙 DELTA WING
고속비행에 적합한 삼각형 날개

동체 FUSELAGE
비행기의 기체

뒷전 TRAILING EDGE
앞전의 반대쪽 에어포일 부분

로갈로 ROGALLO
유연한 모양의 에어포일(날개꼴)

로터 ROTOR
헬리콥터의 회전날개. 로터는 2개 또는 그 이상의 로터 블레이드로 구성된다.

마하 MACH
공기 속을 통과하는 소리의 속도와 관계가 있는 수. 마하 1은 음속, 마하 2는 음속의 2배

모노코크 MONOCOQUE
외판만으로 하중을 지탱하도록 만든 일체식 구조. 오늘날 대부분의 비행기 몸체는 모노코크 형식이다.

받음각 ANGLE OF ATTACK
옆에서 보았을 때 날개에 충돌하는 공기와 날개 사이의 각도

복엽기 BIPLANE
2개의 날개가 나란히 겹쳐진 비행기

붐 BOOM
비행기의 중심이 되는 골조와 꼬리의 조종장치들을 연결하는 길이가 긴 막대

상승 온난 기류 THERMAL
상승하는 따뜻한 기류. 이 기류는 태양이 주위 보다 특정 지역을 더 빠르게 가열했을 때 발생한다.

스로틀 THROTTLE
피스톤 엔진의 회전속도 제어기구. 스로틀은 엔진에 공급되는 공기의 양을 조절하는 일을 한다.

앞전 LEADING EDGE
날개에서 공기가 제일 먼저 부딪치는 앞쪽 부분. 반대쪽은 뒷전이라고 한다.

에어포일 AIRFOIL
날개, 로터 또는 프로펠러를 폭 방향으로 절단했을 때의 모양. 양력은 에어포일 주위의 공기 흐름에 의해 생성된다.

에일러론 AILERON
날개의 뒷전에 움직일 수 있도록 설치된 비행 조종용 보조날개

엘리베이터 ELEVATOR
비행기가 위 또는 아래로 운동하는 데 사용되는, 움직일 수 있는 조종면. 승강타라고도 한다.

오토자이로 AUTOGYRO
무동력 로터로부터 양력을 만들어내는 프로펠러에 의해 구동되는 비행기. 로터는 로터를 통과하는 공기 때문에 회전된다.

와류 VORTICES
소용돌이 또는 맴돌이하는 공기 흐름을 말한다.

조종간(또는 조이스틱) JOYSTICK
비행기를 조종하는 데 사용하는 짧은 막대 모양의 부품

착륙장치 UNDERCARRIAGE
비행기의 하부 지지부와 바퀴들. 일부 착륙장치는 눈 위에 착륙하기 위한 스키, 또는 물 위에 착륙하기 위한 뜨개를 갖추고 있다.

초열 칼깃 PRIMARY FEATHERS
새의 꼬리와 날개의 딱딱한 깃털. 이 칼깃으로 나는데 필요한 추력과 양력을 만들어낸다.

초음속 SUPERSONIC
공기 중에서의 소리의 속도(음속)보다 더 빠른 속도

카나드 CANARD
주날개의 전방에 설치된 작은 날개(꼬리날개와 비슷한 모양)

탄소섬유 CARBON FIBER
여러 가지 모양을 자유롭게 만들 수 있는, 가볍고 튼튼한 탄소 복합소재

터보 샤프트 TURBOSHAFT
이 형식의 제트 엔진에서는, 터빈이 축을 회전시킨다. 터보 프롭 엔진과 비슷하다.

터보 팬 TURBOFAN
아주 큰 팬을 사용하여 고온 가스나 공기를 뒤쪽으로 내뿜어 추력을 발생시키는 제트엔진

터보 프롭 TURBOPROP
이 형식의 제트엔진은 터빈이 프로펠러를 작동시킨다. 감속기어가 터빈의 고속을 프로펠러의 회전속도로 낮추어 준다.

터빈 TURBINE
고압의 액체 또는 가스를 노즐로 분출시켜 그 힘으로 회전동력을 얻는 원동기

토크 TORQUE
회전력. 병뚜껑을 비틀어 열 때와 같이, 물체를 비트는 효과를 나타내는 힘

프로펠러 PROPELLER
엔진의 힘을 비행하는 데 필요한 추력으로 바꾸어 주는 부품

피스톤 엔진 PISTON ENGINE
연료의 연소 에너지에 의해 피스톤이 상하 또는 전후로 왕복 운동하는 엔진. 피스톤의 운동은 회전운동으로 바뀌어 프로펠러를 구동하는 축을 회전시킨다.

E
C
A
B
D

F
G